CE LIVRE-DISQUE A ÉTÉ PRÉPARÉ AVEC LE CONCOURS DE l

LA VÉRITABLE HISTOIRE DE L'APPRENTI SORCIER

Une introduction à la musique classique

DUKAS, MOUSSORGSKI, SAINT-SAËNS...

Texte de JEAN-PIERRE KERLOC'H
Raconté par NATALIE DESSAY
Illustré par RÉMI SAILLARD

Didier Jeunesse

ILS ARRIVAIENT DES QUATRE HORIZONS ET S'ÉTAIENT RENCONTRÉS À LA CROISÉE DE LEURS CHEMINS. ILS VENAIENT DE PÉNÉTRER DANS LE PAYS DU GRAND SORCIER.

L'après-midi touchait à sa fin.
Ils attendaient au pied de la montagne, assis dans l'herbe bleue.
Ils étaient quatre : un garçon au visage cuit comme du bon pain ;
à côté de lui, un grand gaillard, crépu et noir de peau ; une fille brune et renfrognée ;
et une mignonne aux cheveux couleur des blés.

L'air se mit à trembler. La brume se fit transparence lumineuse.

Enveloppée d'une vaste cape, frissonnant comme un ciel d'orage secoué
par la tempête, une haute silhouette vient d'apparaître et s'avance vers eux.
Les quatre enfants découvrent un visage, immobile comme la pierre des statues.
Ils entendent une voix terrible.

– Je suis le sorcier Alto Incantador, le Maître magicien des sons et des chansons.
Et vous ? Qu'espérez-vous trouver en ces lieux ?

ILS RÉPONDIRENT QU'ILS VOULAIENT DEVENIR SORCIERS.

Le visage du Magicien s'anima : souriant d'un côté, sévère de l'autre.
À travers ses paupières plissées, il considéra les quatre jeunes gens.
Un de ses yeux était couleur bleu de ciel, l'autre couleur bleu de nuit.
Ils sentirent qu'il lisait jusqu'au plus profond de leurs cœurs.

– Je n'accepterai qu'un seul, ou une seule, d'entre vous.
Mais d'abord chacun va me dire qui il est, et pourquoi il souhaite apprendre
la magie des sorciers.

ALTO INCANTADOR POINTA UN DOIGT VERS LE GARÇON AU VISAGE DORÉ.

– Commençons par toi.
– Moi, je suis Zingarino, un enfant du Voyage.
Je vais mon chemin, de village en village,
en faisant des cabrioles et des tours de passe-passe,
et… et en racontant les histoires de mon peuple.
Je… je voudrais apprendre de nouveaux tours de magie,
pour mieux gagner mon pain de chaque jour.

Sans répondre, le Magicien se détourna lentement
vers la mignonne aux cheveux mordorés.
Elle hésita. Rougit un peu.
– Je… je m'appelle Linette. Je fais souvent le même rêve :
je voltige au milieu d'un tourbillon de jolies fées.
Alors, je me sens légère et heureuse.
J'aimerais tellement que ce rêve devienne réalité !
Je voudrais devenir… devenir… une gentille sorcière.

Puis le plus grand des garçons prit la parole :
– Je m'appelle Amadou.
Je connais un peu les plantes qui apaisent les douleurs.
Maître, je voudrais apprendre davantage,
afin de devenir un grand chaman-guérisseur.
Pour aider les gens blessés ou malades.

La fille brune baissait la tête avec une moue boudeuse.
Le Maître Sorcier se planta devant elle.
– Toi ! Regarde-moi ! Je t'écoute…

Elle leva les yeux et laissa éclater des mots teintés d'amertume.
– Moi, je suis Tristane.
Il y en a qui m'appellent l'âne triste.
Tout le monde me déteste, alors moi je déteste tout le monde.
Je voudrais devenir une puissante sorcière pour me venger.

ALTO INCANTADOR FERMA LES YEUX. PUIS, D'UNE VOIX SOLENNELLE, IL DIT :

– Vous le savez peut-être : il existe la magie rouge du feu et du sang ;
la magie noire des profondeurs de la terre et de la nuit ;
la magie blanche des manieurs d'illusions… Et enfin, celle que je préfère :
la magie bleue des eaux, des vents et des sons.
Par le pouvoir de ma voix, je peux faire surgir toutes les musiques
qui racontent les légendes fantastiques du passé.
Si vous voulez les découvrir avec moi, il vous faudra accomplir
trois mystérieux voyages et surmonter toutes vos peurs.

Le Magicien se tourna vers Tristane.
– Non, ma pauvre tristounette, je ne ferai pas de toi une méchante sorcière.
Je ne t'apprendrai pas à rendre le mal pour le mal.
Mais le Mal, je vais te le faire voir de près.

Il tendit la main vers une montagne proche,
au sommet jaune et arrondi comme un crâne.
– Nul sous le ciel n'ose monter au sommet du mont Chauve.
Autrefois, quand venait la nuit de la Saint-Jean,
les démons et les sorcières s'y rassemblaient pour danser le sabbat
et célébrer la gloire de Chernobog, le prince cornu des Ténèbres.
Il y a trois fois très longtemps, j'étais comme vous, ici, à cette même place.
Cette nuit, ce sera votre tour.
Êtes-vous prêts à accomplir ce premier voyage ?

Les quatre jeunes gens marquèrent une hésitation.
– Décidez-vous ! Suivez-moi ; sinon, repartez d'où vous venez !

ILS LE SUIVIRENT.

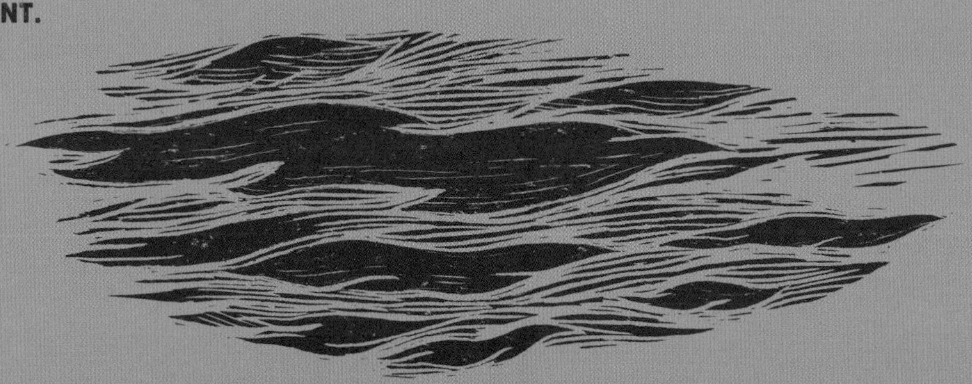

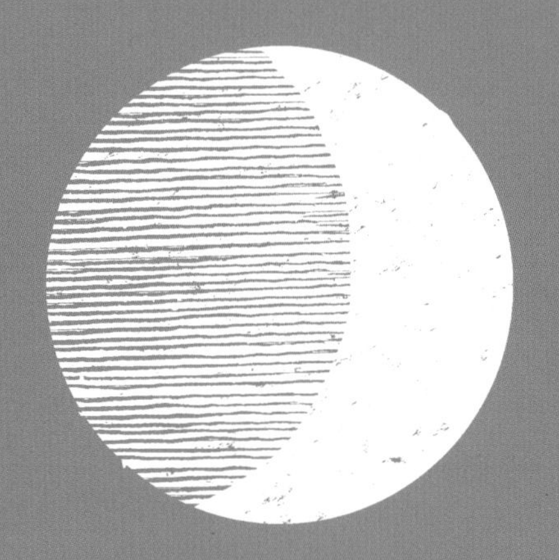

ILS MARCHÈRENT, MARCHÈRENT. PUIS ILS MONTÈRENT, MONTÈRENT…

Le chemin devenait étroit, escarpé. Ils avançaient sans se retourner.
La petite Linette peinait à les suivre. À un moment, elle trébucha et s'étala sur les cailloux. Elle se releva en boitillant.
Tristane se moqua d'elle :

– Ça voudrait voler, et ça ne tient même pas debout ! Te voilà éliminée !

Amadou sortit de sa poche une fiole d'huile, et s'en servit pour masser délicatement la cheville de Linette.
Puis il la souleva et la mit sur ses épaules, aussi facilement que si elle avait été un petit enfant.

Le soleil s'était maintenant caché. C'était l'heure mauve.
La nuit étendait lentement ses grands voiles dans le ciel.
Sous la lueur froide du clair de lune, ils parvinrent enfin au sommet.
Pas un arbre, pas une touffe d'herbe.
Il n'y avait que la terre nue ; et tout autour quelques silhouettes de rocs, immobiles fantômes se dressant en un cercle sombre et sinistre.
Amadou déposa Linette sur le sol.
Elle leva les yeux vers lui en souriant.
Tristane, elle, ne put s'empêcher de fanfaronner :

– Et nous voilà arrivés au sommet du crâne chauve ! C'était fastoche !
Nous avons réussi notre première épreuve.

Le Sorcier répondit :
– Non ! C'est ici que votre épreuve va commencer.
Je vais vous faire revivre ma nuit sur le mont Chauve.
Vous verrez tout avec vos oreilles.

Tristane prit son petit air moqueur.
– Voir avec mes oreilles ! Pourquoi pas avec mes trous de nez ?

Le Sorcier fit comme s'il ne l'avait pas entendue.
– Si l'on en croit les poètes, les parfums, les couleurs et les sons se répondent.
Il est des couleurs qui crient, d'autres qui chantent,
et d'autres encore qui murmurent comme la voix d'un enfant ;
et des sons clairs, sombres, ou gris, ou bien verts comme les prairies.

En bas, au fond de la vallée, une cloche sonna.
Le Sorcier accompagna son tintement en battant lentement la mesure.
– Écoutez… Écoutez et vous verrez, dans les vents hurlants ou gémissants,
le vol sinistre des esprits de la nuit. Écoutez et vous verrez la danse bavarde des sorcières,
et les fureurs triomphales du prince des Ténèbres.
Fermez les yeux, écoutez, écoutez…
Quand la cloche de l'église tintera à nouveau,
la clarté blanche de l'aube effacera les forces noires du Mal.

LA CLOCHE DE L'ÉGLISE AVAIT SONNÉ. L'AIR TREMBLAIT ENCORE DE SA DERNIÈRE VIBRATION SALUANT LE SOLEIL LEVANT.

Les quatre compagnons se taisaient, soulagés et songeurs.
Sans doute encore impressionnés par ce qu'ils venaient de vivre.
Puis Tristane rompit le silence :
– Même pas eu peur.

– Vous avez accompli votre premier voyage
et affronté la peur du mal, annonça le Magicien.
Il vous reste encore à faire face à la peur de l'inconnu et à la peur de la mort.
Vous allez maintenant redescendre seuls par l'autre versant de la montagne.

Il montra l'entrée d'un sentier qui s'enfonçait sous les arbres géants.
– Quand vous serez arrivés en bas, attendez-moi.
Ah ! Encore une chose : vous risquez de rencontrer la sorcière Baba-Yaga.
Elle règne sur tout ce qui vit et bouge sous les arbres,
mais elle n'a aucun pouvoir hors de la forêt.
Autrefois, c'était une ogresse géante,
maintenant, elle n'est pas plus grande que moi.
Et chaque fois qu'elle répond à une question, elle rapetisse !
Selon sa bonne ou mauvaise humeur,
elle peut se montrer plaisantine ou diabolique.
Elle aime jouer de mauvais tours.
Alors, un conseil : soyez très polis avec elle.
Ne lui posez pas de question, ça la rendrait furieuse.

Il sortit de son manteau une sphère étincelante de la taille d'une pomme.
– Dans ma boule de saphir, je verrai tout.
Mais je ne vous aiderai pas. Si vous arrivez à sortir de la forêt,
attendez-moi en bas, comme des enfants sages.

Et sur ces mots, l'enchanteur devint une vapeur qui s'envola dans l'air.

Les deux Garçons

ET LES DEUX FILLES DESCENDAIENT LA MONTAGNE,

EN SUIVANT LE SENTIER OMBRAGÉ PAR-DESSUS ET MOUSSU PAR-DESSOUS.

Allant d'un côté à l'autre, pénétrant parfois dans le sous-bois,
Zingarino n'avait pas son pareil pour dénicher des fruits sauvages :
airelles et cenelles, faînettes et noisettes, mûres et merises, et fraises des bois bien cachées.
Tous les quatre apaisaient leur petite faim en grignotant joyeusement.

À un moment, Tristane cueillit un magnifique champignon jaune tacheté de blanc.
– Tristane ! Tu es ignorante ou tu es méchante ? dit Amadou. Tu veux nous empoisonner !
C'est le champignon-panthère. Il suffit d'en manger un tout petit morceau pour être malade,
ou passer une nuit peuplée de cauchemars. Essuie-toi les mains et…

Il n'acheva ni son geste ni sa phrase. Zingarino les appelait :
– Venez voir ! Venez boire ! J'ai trouvé une source !

Après le plaisir de manger, ils eurent celui de boire une eau claire et fraîche.
– Cette forêt est remplie de petits bonheurs, murmura Linette.

Brusquement, Amadou posa un doigt sur ses lèvres.
– Écoutez… les oiseaux se taisent. Chuuuut…
– On nous suit !

C'ÉTAIENT DES BRUITS DE PAS.

DES BRUITS DE PAS ÉNORMES, QUI FAISAIENT TREMBLER LA TERRE !

– On dirait un éléphant, dit Amadou.
Tristane pouffa de rire.
– Et pourquoi pas un dinosaure à six pattes !

Des branchages brisés, blessés, bousculés s'écartèrent.
Ils virent s'avancer vers eux une tête monstrueuse,
montée sur deux pattes ressemblant à celles d'un gigantesque poulet.
Deux gros yeux les dévoraient du regard.
Mais non, ce n'était pas une tête, ce n'étaient pas deux gros yeux !
C'était une cabane de bois et ses deux fenêtres rondes !
La cabane s'arrêta devant eux.
Se balançant d'une patte sur l'autre, elle semblait vivante.
Il s'en échappait une musique étrange, calme et inquiétante tout à la fois.
Les quatre gamins n'osaient plus bouger. Leurs cœurs battaient très fort.

ILS ENTENDIRENT

UNE SÉRIE DE HULULEMENTS,
COMME SI UNE VIEILLE CHOUETTE LEUR POSAIT DES QUESTIONS :

– I-É-E-OU-OU ? OU-E-É-OU-OU ?
OU-A-É-OU-OU ?

La porte de la cabane s'abaissa à la manière d'un pont-levis.
Une bonne femme apparut. Les hululements devinrent des mots :
– Où allez-vous, vous ? Bande de petits ratons grignoteurs,
vous avez osé voler mes fruits et troubler l'eau de ma fontaine !

Linette eut un geste désolé, et lui offrit un sourire pour s'excuser.
Zingarino essaya d'expliquer :
– D'habitude, une forêt offre ses eaux et ses fruits à tous ses visiteurs.

Amadou essaya d'expliquer à son tour :
– C'est le grand sorcier Alto Incantador qui nous a dit…
– Taisez-vous ! Ici, c'est moi qui commande, pas votre sorcier.
Même s'il s'appelle Chantedehors ou Merlinpimpin.
Dans ma forêt, tout ce qui vit et bouge est à moi, rien qu'à moi !

Elle se frappa la poitrine des deux poings, à la manière des gorilles.
– Je suis Baba-Yaga, la terrible reine des sous-bois.
Et puisque vous avez mangé mes fruits sauvages, à mon tour,
je vais manger sauvagement quelque chose qui vous appartient !
Nous allons jouer à un petit jeu que j'ai inventé. Je l'ai appelé « la grande poursuite ».

Elle grinça des dents en souriant.
– Voilà la règle du jeu : je vais compter jusqu'à trois fois trente-trois ;
après, si je vous attrape avant que vous ne sortiez de la forêt, je dévorerai vos fesses.
Et vous vous souviendrez de moi. Moi, Baba-Yaga,
la terrible reine des bois et des sous-bois. Ha ! ha ! ha ! ha !

TRISTANE

AVAIT BAISSÉ LA TÊTE,

SANS DOUTE POUR CACHER UN DE SES PETITS SOURIRES MALINS.

Elle posa une main ouverte en cornet contre l'une de ses oreilles,
et dit d'une voix très sérieuse et très polie :
– Moi, m'dame, j'suis un peu sourde, j'ai pas bien compris.
Vous êtes bien Barba-Caca, l'horrible naine des bouts d'bois d'la forêt ?

Sans réfléchir, la sorcière répondit à la question :
– Noooooooon ! Pas Barba-Caca, espèce de sourdingue ! N'abîme pas mon merveilleux nom !
Je suis Baaaba-Yaaaga, la terrible reine des sous-bois de la forêt !

Mine de rien, Tristane lui avait posé une question… Et machinalement la sorcière avait répondu.
En un instant, la voilà rapetissée de moitié. Pas plus grande qu'une gamine de quatre ans !
Mais toujours aussi vieille et laide.
Elle ouvre sa bouche rouge et baveuse, garnie de dents pointues, et glapit :
– Tu vas me payer ça, petite guenon ! Et tes copains aussi.
Cette fois, si je vous attrape, je vous bouffe tout cru.

Et la sorcière commença à compter à haute voix en fredonnant une chanson bête :
– UN, DEUX, TROIS
FUYEZ DANS LES BOIS !
QUATRE, CINQ, SIX
CUEILLEZ DES SAUCISSES !
SEPT, HUIT, NEUF
PONDEZ-MOI UN ŒUF !
DIX, ONZE, DOUZE
MARCHEZ DANS LA BOUSE !

Sans l'écouter davantage, Linette et les deux garçons avaient déjà pris leurs jambes à leur cou.

SEULE

TRISTANE NE S'ÉTAIT PAS ENFUIE.
MAINS SUR LES HANCHES, ELLE RESTAIT PLANTÉE FACE À LA SORCIÈRE.

– Dis-moi, Baboche-la-Moche ! T'as rétréci au lavage ? T'es plus qu'une demi-portion ?
Avec tes petiotes papattes, comment feras-tu pour nous rattraper ?

La sorcière ricana. Puis, comme une araignée sur un mur,
elle grimpa tout en haut de sa cabane et s'installa à cheval sur le toit.
– Pauvre bécasse ! Avec Cocotte, ma cabane, et ses deux grandes pattes,
on aura vite fait de vous rattraper. Ha ! ha ! ha !

Mais, une fois de plus, emportée par sa colère, la sorcière avait répondu à une question.
Et elle avait encore rapetissé d'une moitié ! Pas plus haute qu'un bébé de deux ans !
Tristane ne l'écouta pas davantage. Elle courut pour rattraper les autres.
Perchée sur son toit, la sorcière continuait à compter :
– Octante-sept… octante-huit… octante-neuf… nonante…

Tristane entendait sa voix grinçante.
– Nonante-sept… nonante-huit… nonante-neuf… Poursuivons ces quatre pingouins !

UN TERRIFIANT TINTAMARRE SE DÉCHAÎNA DERRIÈRE LES QUATRE FUYARDS.

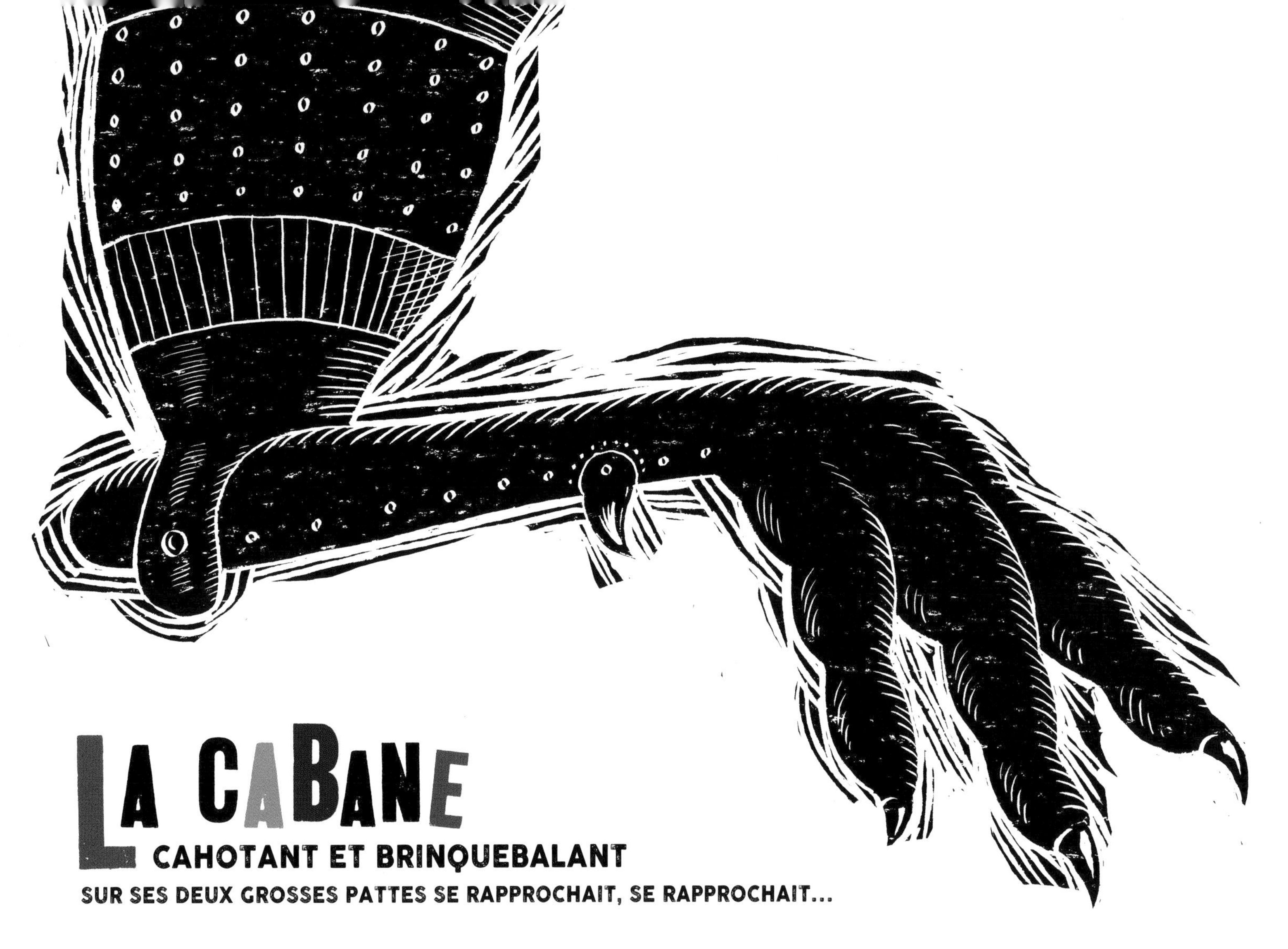

LA CABANE
CAHOTANT ET BRINQUEBALANT
SUR SES DEUX GROSSES PATTES SE RAPPROCHAIT, SE RAPPROCHAIT…

La cabane allait bientôt la rattraper.
Tristane se retourna et, tout en courant, lança une troisième question à Baba-Yaga :
– Bébé-Agaga, comment feras-tu pour me manger avec ta boubouche riquiqui ?
– Je te mangerai en purée à la petite cuillère en bois !

Baba-Yaga avait répondu encore une fois à une question, et elle rapetissa encore une fois !
Elle ressemblait maintenant à une vieille poupée en chiffon.
Tristane éclata de rire.
– Baluche-la-Peluche ! Je t'avais bien dit que t'étais une horrible naine !

Mais la gamine avait oublié de regarder devant elle.
Elle se prit les pieds dans une touffe de fougères et… **PLAAAF!** s'étala dans l'herbe.
Épouvantée, elle vit une énorme patte griffue se lever au-dessus d'elle.
Elle ferma les yeux.

Elle se sentit agrippée, soulevée, emportée.

QUAND TRISTANE OUVRIT LES YEUX, ELLE NE COMPRIT PAS TOUT DE SUITE.

Deux bras la tenaient fermement. Sans lui faire de mal.
Au-dessous d'elle, comme dans un rêve, elle vit ce qui restait de la sorcière s'enfuir dans le sous-bois en poussant de petits cris perçants.

GRIN-HIN-HIN-HIN...

Elle vit la cabane devenue folle qui allait à droite, à gauche, en avant, en arrière, tournoyer sur elle-même… et finalement se précipiter contre le tronc d'un énorme chêne et se fracasser en trois fois trente-trois bouts de bois. De quoi faire un feu de joie !
Elle vit aussi deux grandes pattes de poulets sautillantes s'éloigner dans la forêt, à cloche-pied, chacune de son côté.

Précautionneusement, Tristane leva la tête… et découvrit le visage de Linette.
Incroyable ! C'était Linette qui l'avait attrapée et secourue au dernier moment.
Et Linette volait comme un oiseau !

Elles atterrirent à l'orée de la forêt.
Amadou et Zingarino les rejoignirent bientôt, tout essoufflés.
– On vous a vues passer au-dessus de nous. Comment avez-vous fait ?

Tristane montra Linette du doigt.
– C'est elle qui… qui… Je ne sais pas comment…
– Moi non plus, je ne sais pas comment, répondit Linette.
Ça a été plus fort que moi… J'ai volé à son secours !

Tristane lui caressa la joue.
Et pour la première fois un vrai sourire éclaira son visage.
– Merci, Linette, tu m'as sauvée.
– Tristane, toi aussi, tu nous as sauvés, dit Amadou. Tu as été rusée et courageuse.
Et tu as vaincu la sorcière. Maintenant, il ne reste plus qu'à attendre le retour du Magicien.

Ils profitèrent de la douceur de l'air et de l'herbe.
Pour passer le temps, Zingarino leur raconta quelques-unes de ses histoires :
l'histoire des *Quatre forgerons*, celle de *La Biche blanche*, celle du *Chemin des étoiles*…
Tous les trois l'écoutaient, fascinés. Sans dire un mot.

ZINGARINO

AVAIT COMMENCÉ À RACONTER *LE GRAND VOYAGE DES OURS,* LORSQU'UNE VOIX FORTE L'INTERROMPIT.

Maître Alto Incantador venait d'apparaître dans le rougeoiement du soleil couchant.
Son œil couleur de ciel bleu souriait, l'autre demeurait couleur de nuit.
– J'ai assisté au spectacle dans ma boule de saphir. Vous n'avez pas été mauvais à la course-poursuite !
– Ce n'est pas grâce à vous, en tout cas, répliqua Tristane. Heureusement, on s'est débrouillés tout seuls.

L'un des côtés du visage du Magicien se mit à rire.
– C'était très amusant de vous regarder.
– Pour nous, c'était pas très amusant ! répliqua Tristane. On a failli être dévorés, on a frôlé la mort !

Le visage du Sorcier prit une expression sérieuse. Presque menaçante.
– La mort ? La Mort, vous allez la rencontrer dans votre troisième voyage. Avez-vous peur de la Mort ?
Ils semblaient hésiter à répondre.
Alto Incantador posa une autre question :
– Savez-vous ce qu'est la Mort ? Dites-moi ! Je vous écoute.

La voix grave d'Amadou lui répondit :
– Nos corps deviennent de la poussière. Une poussière qui vole avec le vent ou qui se mêle à la terre.
Et de cette poussière renaîtront des arbres, des fleurs, d'autres êtres vivants…
– La Mort ? dit Zingarino, on m'a raconté que c'était une grande ombre noire, armée d'une faux,
qui vient chercher les vivants et les emporte dans sa grande charrette.
– On dit que nos âmes ne meurent pas, ajouta Linette.
– Tout ça, c'est des histoires de vieilles bonnes femmes, assura Tristane. Moi, je suis jeune,
et avant que je devienne vieille, on inventera bien un médicament contre la mort.
Et la mort, moi, je m'en moque, en attendant !

Le Sorcier hocha la tête.
– Dans un grand livre, il est écrit que la Mort viendra à nous comme un voleur,
et que nous ne saurons ni le jour ni l'heure. Mais Tristane n'a pas tout à fait tort :
on peut essayer d'oublier la mort. Un poète et un musicien se sont amusés avec elle :
ils racontent qu'une nuit la Mort, en jouant du violon, venait réveiller les squelettes enfouis dans un cimetière.
Et que ceux-ci se mettaient à danser… Certains vers de ce poème résonnent encore dans ma mémoire…

ZIG ET ZIG ET ZAG, LA MORT EN CADENCE
FRAPPANT UNE TOMBE AVEC SON TALON,
LA MORT À MINUIT JOUE UN AIR DE DANSE,
ZIG ET ZIG ET ZAG, SUR SON VIOLON.
ON ENTEND CLAQUER LES OS DES DANSEURS.
ZIG ET ZIG ET ZIG, QUELLE SARABANDE !

Écoutez bien la *Danse macabre*, car ce sera votre dernière épreuve. Écoutez, mais prenez garde.
N'entrez pas dans la danse, sinon malheur à vous !

LA MUSIQUE

AVAIT RENDU SON DERNIER SOUPIR.

LE CHANT DU COQ DISPERSAIT LES OMBRES DE LA NUIT.

Les quatre compagnons se tenaient encore par la main, tout heureux de retrouver la vraie vie.
Comme s'ils sortaient d'un cauchemar.
– Vous avez réussi vos trois épreuves. Ces trois épreuves, je les ai vécues, moi aussi, lorsque j'avais votre âge.
Et j'étais plus que fier de les avoir surmontées ! À cette époque, j'étais un jeune apprenti sorcier,
mais je me croyais déjà devenu un grand maître. Et un jour, j'ai commis une énorme bêtise.
Asseyez-vous, je vais vous la raconter :

Mon maître avait un balai très obéissant : il lui suffisait de lancer une formule magique,
ABRACABALA, ABRACABALI, ABRACABALÉ !,
et aussitôt le balai obéissait.
Un jour, mon maître m'annonça qu'il allait s'absenter pendant quelques heures.
Il devait aller soigner un malade. Il me chargeait, pendant ce temps,
d'aller puiser de l'eau à la rivière, pour remplir le grand cuvier qui lui servait de baignoire.
Je me suis retrouvé seul dans la maison silencieuse du maître, pleine de mystères.
Une idée jaillit comme par magie dans ma cervelle : je n'allais pas me fatiguer,
le balai pourrait aller chercher de l'eau à ma place !
J'ai prononcé la formule magique :
ABRACABALA, ABRACABALI, ABRACABALÉ !
Merveille ! Le balai a commencé à bouger et le voilà parti à la rivière...
Il allait et revenait, le baquet se remplissait, je n'avais rien à faire.
Mais quand le baquet fut plein, point ne s'arrêta le balai ! Bientôt, voilà l'eau qui déborde,
se répand partout. Et je ne savais pas comment arrêter la marche du balai !
J'avais beau répéter
ABRACABALA, ABRACABALI, ABRACABALÉ ! BALAI, ARRÊTE-TOI !,
point ne s'arrêtait le balai.

Furieux, j'empoigne une hache, frappe un grand coup, et vlan ! voilà le balai en deux morceaux.
Mais bientôt, chacun des deux morceaux commence à frémir, à bouger, et les voilà qui repartent puiser de l'eau.
Ils reviennent… C'est l'inondation !
L'eau envahit toute la maison. C'est un flot furieux qui monte, monte.
Au secours ! Au secours ! Je vais périr noyé. Gloup, gloup, gloup...
Tout soudain, une voix éclate et tonne. C'est mon maître !
Les eaux s'apaisent, s'écoulent et disparaissent. La maison avait retrouvé sa mystérieuse tranquillité.
Mon maître pointa son doigt vers moi, et ma punition tomba.

Aussitôt, Tristane voulut ajouter sa petite plaisanterie habituelle :
– C'était quoi, la punition ? Il vous a tiré les oreilles, il vous a donné un coup de baguette sur les doigts
ou il vous a jeté dehors en vous bottant les fesses ?
– Je ne sais pas, je ne sais plus… Il y a si longtemps. L'important, c'était la peur que j'avais eue.
Et la leçon de modestie que j'ai reçue ce jour-là. Maintenant, fermez les yeux…

LE SORCIER ANNONÇA :

– Reposez-vous. Profitez de la nuit, méditez et rêvez. Demain, je reviendrai avec le soleil et je vous dirai lequel ou laquelle d'entre vous j'ai choisi pour devenir mon apprenti.

Et sur ces mots, il disparut.

Quand l'aube blanche apparut, Alto Incantador était là.
Les quatre compagnons attendaient. Ils allaient enfin savoir qui allait être choisi par le Maître.
Celui-ci tendit la main ouverte vers Linette.
– Parce que tu possèdes le pouvoir de la gentillesse, tu peux voler pour sauver les autres.
Tu es déjà une petite fée, Linette. Tu n'as pas besoin de moi.

Il se tourna ensuite vers Zingarino.
– Ce ne sera pas toi non plus. Tu connais déjà la magie des histoires.
Je te promets de venir dans tes rêves, pour t'en offrir de nouvelles.
Et tu pourras les raconter à ton tour, au long de tes grands chemins.

Il s'approcha d'Amadou et posa les mains sur ses épaules.
– Amadou, ce sera toi qui deviendras mon élève. Jour après jour, je t'enseignerai le pouvoir des mots et des chants qui guérissent ou qui consolent.

Le visage d'Amadou s'éclaira d'un magnifique sourire, ses yeux brillaient de bonheur.
– Je… je n'arrive pas… je n'arrive pas à y croire. Je ne sais ni voler, ni rapetisser les sorcières, ni même bien raconter les histoires !
– Mais tu sais donner. Quand tu auras terminé ton initiation, tu recevras un nom nouveau.
Et tu commenceras à devenir un grand chaman-guérisseur.

Linette et Zingarino, tout sourire, s'approchèrent d'Amadou pour le complimenter,
mais avant même qu'ils aient pu placer un mot, on entendit claironner la voix de Tristane :
– Et moi ! Et moi ! Et moi, alors ?
– Toi, tu t'es montrée maligne et intrépide.
Et mieux encore, tu as appris à dire merci et à offrir un vrai sourire. Reviens ici dans un an.
Pendant ce temps, essaie d'apprendre à aimer et à respecter les autres. Et un jour, peut-être…

Maître Alto Incantador, d'un large mouvement, ouvrit les bras vers l'horizon.
– QUE CHACUN DE VOUS TROUVE SA PROPRE VOIE !

Linette, Tristane et Zingarino prirent la route en se tenant par la main.
Ils se promirent de ne pas oublier ce qu'ils avaient vécu et appris ensemble.
Puis ils se séparèrent, chacun reprenant son chemin de vie,
tandis que le soleil s'élevait lentement dans le ciel d'azur.

La véritable histoire de

L'Apprenti Sorcier

Comment j'ai composé cette histoire...
Le déroulement narratif de *L'Apprenti sorcier* de Paul Dukas étant assez court, j'ai choisi d'en faire le final d'un grand récit, enrichi d'autres pièces musicales sur le même thème, celui de la sorcellerie.
Partant de l'idée d'un voyage initiatique, j'ai imaginé quatre personnages : deux garçons et deux jeunes filles aux motivations différentes, mais portés par un même désir – devenir sorcier.
Il m'a paru nécessaire de poser d'abord chacun d'eux, en l'opposant aux autres : par son apparence physique, sa parole, son caractère, son comportement, son vécu antérieur, je dirais même sa philosophie.
Sous la férule, rigide mais protectrice, du Maître Sorcier Alto Incantador, ils vont déambuler dans des lieux étranges, et se trouver confrontés à trois épreuves effrayantes. Épreuves que je me suis efforcé de dédramatiser par l'humour, la fantaisie, la sagesse ou l'insolence, de l'un ou l'autre des personnages.
Je voulais jouer avec la peur et non pas faire peur.
Chacun des quatre héros va évoluer à sa manière : surmonter les frayeurs et les difficultés, apprendre la solidarité, et découvrir des pouvoirs magiques qui sommeillaient en lui.
Un(e) seul(e) sera l'élu(e) et deviendra l'apprenti(e) du Maître.
Un aveu : avant d'écrire la fin de l'histoire, je ne savais pas encore lequel ou laquelle choisir.
Car, en fait, le Maître Sorcier, c'était moi. J'ai hésité.
Ai-je fait le bon choix ?
À chaque lecteur d'y réfléchir et d'en décider.

Jean-Pierre Kerloc'h

Comme le double visage du Grand Sorcier, les œuvres qui illustrent cet album tiennent ensemble les contraires.
On y entend les contrastes les plus crus, dans les nuances, les rythmes, les sons. Tout est mis en place pour suggérer alternativement la tension et l'apaisement, la frayeur et la sérénité.
Si la sorcellerie ne connaît pas de frontière (de la France de Paul Dukas ou Hector Berlioz à la Russie de Modeste Moussorgski), le courant romantique du XIXe siècle unit la plupart des œuvres de l'album. La vague esthétique qui déferle alors sur l'Europe des arts porte toute son attention sur les mystères de l'esprit, une fascination pour la magie (noire de préférence) et le surnaturel.
En prêtant l'oreille, on reconnaîtra des éléments récurrents : des cuivres ténébreux et tonitruants, des cloches qui viennent annoncer l'aube, des violons qui imitent les rires grinçants des sorcières, des mélodies limpides et apaisées.
L'album est traversé par un élan d'énergie : rythmes saccadés (*Une nuit sur le mont Chauve*), hypnotiques (*Danza del terror – Danse de la terreur*), balancement monstrueux (*Baba-Yaga*), marche du balai de *L'Apprenti sorcier*. Ces pulsations s'amplifient jusqu'à l'extase !
Plus doux, la *Marche des fées* ou le *Menuet des follets* sont légers et vivifiants. Ils ouvrent et referment ce grand livre de sorcellerie.
Ces partitions se sont inspirées des textes de grands auteurs : Goethe, Gogol, Cazalis... Aujourd'hui, c'est le récit de Jean-Pierre Kerloc'h qui me les a soufflées.
Et c'est maintenant à vous que je les livre.

David Pastor

Hector Berlioz : *Songe d'une nuit de sabbat* (1830), *Menuet des follets* (1846)
Felix Mendelssohn : *Marche des fées* (1843)
Modeste Moussorgski : *Une nuit sur le mont Chauve* (1867), *Baba-Yaga* (1874)
Camille Saint-Saëns : *Danse macabre* (1874)
Paul Dukas : *L'Apprenti sorcier* (1897)
Manuel de Falla : extraits de *El amor brujo (L'Amour sorcier)* (1915)
Maurice Ravel : *L'Enfant et les sortilèges* (1925)